KB096550

손 고 은 동 시 집

말로
못 하는
말을 쓸게

손 고 은 동 시 집

말로
못 하는
말을 쓸게

나만의 브이

하얗고 고운 눈 접시에
검지 손가락과 중지 손가락을 펴서
친구들과 함께 한 추억을 떠올리며
마지막 브이를 찍었다

눈동자 깊고 깊은 곳
어딘가에서
잔잔했던 바다가
갑자기 폭풍우를 일으켜서
볼을 타고 흘러내렸다

나음날 나는
서울로 이사 왔다

차례

1장 저기 저 수평선 너머로

2장 나만의 브이

3장 별 사탕

1장 저기 저 수평선 너머로

우리 집 화분

우리 집에는
두 개의 화분이
살고 있다

첫 번째는
엄마의 사랑이
담긴 스파트 필름

일 년에 한 번만 피는
하얀색 꽃은
수줍음이 많아
처음엔 돌돌 말려 나온다

두 번째는
나의 축복을
받은 스투키

부끄럽지 않고
당당하게 흙을 걷어차며
나온다

우리 집 화분 속
생명들은
각자의 장점을
보여 주려 이 세상에
태어났다

잎 도장

도장들은 손으로 찍는다

잎 도장들은 빗물로 찍는다

돌

돌은
돌처럼 생겼다

돌이
돌이랑 친구다

돌의
형제는 돌이다

달맞이꽃

달맞이꽃이
피었다

밤에
피었다

노오랗게
피었다

아침 해가 뜨면
꽃잎을 오므린다

행복

행복이란
기쁨
즐거움
여유로움이란 것

어렵거나 힘들 때
행복을 상상해

늘
네잎 클로버를 찾는거야

하늘

하늘은 멀다
하늘에 떠 있는
달과 해는 아름답지만
너무 높디 높다

별도 따서 갖고 싶지만
나를 자꾸만 피한다

나를 따라오는
노을이 가장 사랑스럽다

순한 개처럼

혼자서도 잘 놀고
밖에서도 잘 놀고

너처럼 호기심 많고
창의력 많은
생명이 되고파

나

나는
나의
연필을 볼 수 있다

나는
나의
의자를 볼 수 있다

나는
나의
얼굴을 볼 수 있을까?

꼭대기

산꼭대기에
올라가면
뿌듯하다

자갈 꼭대기에
올라가면
어떤 기분일까?

우리 반 친구들

우리 반
친구들은 모두
장점이 있다

한 아이는
운동을 잘하고

한 아이는
공감을 잘하고

한 아이는
웃음을 멈추지 못하고

한 아이는
행복이 무엇인지 알고

우리 반 친구들은

각자의 장점들로

각자의 성품을 드러낸다

곰돌이 삼촌

만나서
고기도 먹고

아이스크림도
먹고

산책도 하고

나의 곰돌이 삼촌은
나를 신나게 해 주신다

나의 곰돌이 삼촌은
나를 웃게 해 주신다

양말과 티라노사우르스

빨래통에
양말을 뒤집어
넣었네

큰 티라노사우르스가
빨래 널 때
입에서는 불꽃이 튀어 오르고
코와 귀에서는 연기가 픽픽 나고
머리에는 뚜껑이 열려 백두산이 터지네

잘못했어요
양말, 제대로 해 놓을게요

커튼

교실 창문에 걸려있는
커튼

오르락
내리락

올릴 때는
식물들 햇빛 샤워 도우미
내릴 때는
추운 교실 따스한 난로

우리 교실
커튼은
기분이
오
르

락

내

리

락

라푼젤의 하루

라푼젤은 성에 갇혀
재미있는 하루를 지낸다

양초도 만들고
그림도 그리고
머리카락도 빗고
카멜레온 친구와
숨박꼭질도 하며
시간을 보내는데

또 다른 친구 없이는
나처럼 심심한가보다

언젠간
너의 탑에
놀러 갈게

거미줄에 머무는 이슬

거미줄에 매달려 있는
반짝거리고 어여쁜
작은 이슬이

나를 보고
더 예뻐 보이려고
반짝거린다

나는 그 모습을
오냐오냐
해주니까

이슬은 기뻐서
더욱더 펄쩍 뛰었다

낮잠 자고 있던 거미도 깨겠다

부자 낙엽

우와!
낙엽도 부자인가 봐

나무의 영양소를 먹어
뚱뚱해졌네

다리도 2개나 더 있어
원래 다섯 조각 나 있는데
애는 일곱 조각 나 있어

부자가 좋나 봐
부자인 채로 떨어졌어

나도 부자를 꿈꿔야지

마리오 파이프

오!
마리오가 나올 것 같은
파이프

저 아래는 지하 세계일까

나도 마리오처럼
들어가 볼까

안돼
나쁜 악당을 만날지도 몰라

마리오가 나올 때까지
기다려 봐야지

방게

작은 게를 잡고 있는데
돌 아래로 쏙!

나도
얼굴을 담가
어디 있나 찾아본다

작디작은
집게가 보인다

검지와 엄지로
흥분한 마음을 가라앉히고
게의 몸통을 잡는다

그 작디작은 집게가
검지를 꼬집었다

방게가 나보다

훨씬 커 보인다

아무것도 모르는 사과

열심히
공부와 씨름하고 있을 때

하늘에서 사과가
갑자기 떨어졌다

집중력이
팍!
사라졌다

사과는
나의 얼굴이
찌그러져 있는 것도 모르고

세상에서
가장 태연한

자세로 존재했다

그래도
귀엽고 작은 갈색 사과는
다시
다른 곳으로 굴러갔다

나의 바다를 찾아서

전철을 타고
부산여행

바다와 마주 보는 순간이
기적 같다

부드럽고 하얀
모래가
나를 반겨 준다

갈매기들은 합창하고
파도는 나에게 달려온다

이 순간들이
나에게는
기적이다

홈런볼

홈런볼 과자는
너무 얄밉다

맛있게 한입을
와삭!
먹으면

안에 있는 초콜릿이
나를 보고 점점 움츠러들어서
얄밉다

홈런볼이
텅 비어 있을 때
내 마음도
텅 비어 있다

도서 방귀

책을 보다가
실수로 방귀를 뀌었다

옆에 있던
눈동자와
마주쳤다

잠시 후
뿌우웅
소리가 나서 보았더니

그 눈동자가
다시
나와 마주쳤다

똥파리

손을
비
　비
적
　　비
　비
　　적

손을 깨끗이 씼었는데
왜 또 똥을 만지니?

무지개 옷

나의 흰
티셔츠가 밉다

미술 시간에는
내가 좋아하는 파란 색깔
크레파스를 만지고

체육 시간에는
더러운 진흙에
넘어지고

점심시간에는
김치국을 먹으려고 했다

너 때문에
엄마한테 혼날 거잖아!

황금귤

과일 가게 앞을 지나가다가
빛나는
황금귤을 발견했다

나의 손과 눈은
황금귤에서 떨어지지 않았다

빨리 먹고 싶어
서둘러 껍질을 까다가
톡!
터져 버렸다

이 나쁜 손아
귀하고 귀한
황금귤을 다치게 하면
어떻게 하니

손이 말했다

-그럼 너의 입은 어떻게 하니

종이 비행기

푸른 하늘에
날고 있는
하얀 비행기

푸른 마음에
날고 싶은
나

마음이라도
날고 있으면
친구 하자

3월의 기도

개학하는 전날 밤에
별이 뜰 수 있게 해주세요

어제 본 별들은
너무나도 특별했어요

빛나는 별이
나를 보고
희망을 빌려주었어요

개학하는 전날 밤에
소원을 빌고 희망을
돌려줄게요

나무 물고기

나무 의자에 숨은
물고기

무얼 피해
의자에 숨어 있니

날아다니는 비둘기?
아니면 헤엄치는 상어?

숨은 모습을 보니
안타깝다

저기 저 수평선 너머로

저기 저 수평선 너머로
무엇이 있을까?

지구가 둥글둥글하지만
끝이 있는 것 같다

푸른빛으로 물든
물은 여러 가지의 마법이 들어간
기쁨 추출액

살구빛으로 물든
가루는 여러 가지의 판타지가 들어간
상상 도구

하얀빛으로 물든
결정체는 여러 가지의 환상이 들어간

우풍자우

저기 저 수평선 너머로

무엇이 있을까?

우풍자우 : 구름을 달리 이르는 말. 구름의 벗.

홍엽 계단

계단이
홍엽 계단으로
바뀌었다

빨간색으로 뒤덮힌
대리석은
누구도 밟으려 하지 않는다

멸치

엄마가 프라이팬에
이리저리 볶은 멸치
작고 빼쩍 마른 그 멸치는
우리 몸에 뭐가 좋다는 것인가
코딱지만 한 멸치가
내장도 보이지 않는 멸치가
어찌 꾸역꾸역 먹어야 하는가
쪼매난 두 눈은 나를 노려보고 있다
내 입에 그 눈알이 들어간다는 것을 상상하니
너무나도 징그럽다
엄마는 멸치가 칼슘이라고
나는 단지 뼈 안보이는 생선이라고

눈꺼풀도 없으면서
나를 노려본다

말로 못 하는 말을 쓸게

나의 마음을
흰 종이에
연필로
슥스윽

얼굴 보면서
말하면 조금 부끄러워

검정색 글씨지만
마음은 알록달록

나의 편지를
이해해줄래?

자존감

사람들은
보는 눈이 있다
나는 내가 우스꽝스러워도 상관하지 않는다
나는 내가 이상해 보여도 상관하지 않는다
나는 내가 괴상해 보여도 상관하지 않는다
나는 누가 뭐래도 나를 만족할 것이다

사람들은 보고 싶은 것만 보니까

지각

8:40

-으악!

8:45

-치카치카!

8:50

-탁탁탁타!

8:55

-안돼......

8:59:99

-딩동댕댕동~

친구의 사랑

생일선물로 받은 종이꽃
아직도
남아 있는 작은 손자국
정성을 담아 나에게 주는 선물
손바닥 보다 작은
색종이를 열심히 접어
나에게 주는 선물
평생 빛나는 별처럼 간직할게

2장 나만의 브이

흔적

나의
발자국

아주
잘 보인다

흰 눈 위에
딱
튀었다

그렇게 눈

아름답게
쌓였다

티 나게
쌓였다

잘 보이게
쌓였다

물결

아주
대단하다

무지
무지
무지
예술적이다

엄청
엄청
엄청
엄청
차가울 것 같다

정말
정말

정말

정말

폭포다

바나나 (껍질) 나무

하늘에서
바나나껍질이
하나 떨어졌다

너무 까맣게
탄 것 같다

그런데
껍질만 있고
바나나는 없다

속았지?

손자국

흰 눈에
다섯 가락이 보이는
그 자국

완벽하게 찍혔다
그리고

집주인에게도
찍혔다

겨울

겨울은 두꺼운 옷 입는 날

겨울은 립밤 바르는 날

겨울은 붕어빵 먹는 날

겨울은
내 생일 있는 날

고드름

물이 얼면
-얼음

얼음이 죽으면
-다이빙

다이빙을 하려고 하는데
폭포가 얼면
-...고드름

실로폰

도 레 미
흰색 눈에
뒤덮힌
실로폰

아무나
앉지 마라
무게에 실려
실로폰
망가진다

소복소복

나뭇잎에
쌓인 소복이들

서로서로
조심히
떨어지지 않도록
가만히 멈춰 있다

한 송이라도
이사 오면
난리를 친다

그래도
1초 뒤면
가라앉는다

소복 소복2

얇은 가지에
너도 나도
앉으려고 하네

하늘에서
조준을 해도
바로 옆으로
떨어지는
경우도 있다네

나의 손에 떨어져
억울하다고
눈물바다로
변하네

가여운 눈송이들

하루 만에

생을 마친다

따듯한 코코아 한잔을 마시면

따듯한 코코아 한잔을 마시면
나의 몸은 평온을 느낀다
나의 몸을 사랑의 난로처럼 데워준다

나는 코코아 한잔으로부터
평온과 사랑을 느낀다

이제 따듯한 코코아 한잔을 마시러
가야겠다

어묵 날

엄마와 손을 꼭 잡고
시장을 간다

둘러보고
둘러보면
내가 좋아하는
어묵이 보인다

따듯하고
쫄깃한
어묵 앞으로
달려간다

사장님께서
-오늘도 딘골손님 오셨네?
라고 반겨주신다

조류의 발자국

비둘기일까

까마귀일까

까치일까

참새일까

아주 잘 보이게
밟고 갔다

눈 폭탄

개미가 말했다
-지진 인가봐
겨울잠이 문제가 아니야!

또 다른 개미가 말했다
-나가보자, 여왕님과 아이들이 중요해

개미들이
우르르 땅속에서
나왔다

밖에는
눈 폭탄이
터졌다

아주 큰

폭탄이었다

나는
개미들한테
쫓겼다

춥지

한겨울에
떨고 있는 생명들

하나하나 서로를
감싸 주며

추운 나날을
버틴다

그래, 많이
추울 거야

봄이 올거야
희망을
놓치지마

독감

독감인 줄은 몰랐다
열감기인 줄 알았다
힘들었다

어제 열이 39.8도가 넘었다
내 친구도 그런적이 있었다
처음에는 무서웠다

오늘은 열이 내렸다
컨디션이 아주 좋아졌다
지금은 용감해 졌다

한 걸음

나는
한 걸음씩
나의 길을 잔잔히 가고 있다

새로운 모퉁이가 생기면 천천히 돌아가고
막다른 길이 있더라도 괜찮다
다시 다른 길로 가면 되니까

한 걸음 한 걸음
한.
　걸.
　　음.
대영을 누리며 헤엄치는 돌고래처럼
스스로의 발로 스스로의 길을
끝까지 간다

겨울 석양

바람도 잔잔하고
동산도 조용한
이 거리는
아름다움입니다

태극기가 펄럭펄럭 날리면
나도 들썩들썩 날립니다

이 도시에 있는 석양은
한 마디로 아름다움입니다

나만의 브이

하얗고 고운 눈 접시에
검지 손가락과 중지 손가락을 펴서
친구들과 함께한 추억을 떠올리며
마지막 브이를 찍었다

눈동자 깊고 깊은 곳
어딘가에서
잔잔했던 바다가
갑자기 폭풍우를 일으켜서
볼을 타고 흘러내렸다

다음날 나는
서울로 이사 왔다

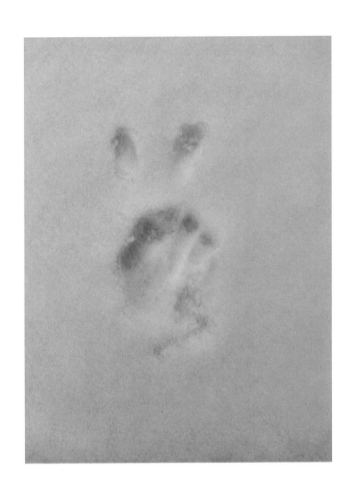

방심했던 순간

지난 주에
내렸던 눈이
길 모퉁이에 산처럼
쌓여 있었다

오랜만에
눈을 만지고 싶었던 탓에
서둘렀더니
넘
　어
　　졌
　　　　다

정말로
미끄덩
미끄러졌다

밤에 내리는 도둑

실시간 속보입니다

어두운 밤
하늘에서
조심조심
아무도 깨지 않게
내려오는 도둑이 있습니다

그것도 한 송이가 아닌
여러 송이가 내려오고 있습니다

어쩌지요
저희 고양이의
잠자리를 빼앗았습니다

내일 아침에

나가 보아야겠습니다

해님 경찰에게도 신고 했고

나의 잠자리까지 빼앗으면 안돼니까요

찹쌀떡

보기만 해도
쫄쫄한 찹쌀떡
찹추와압
찹찹찹

솔솔 하얀 가루가
뿌려져 있는 찹쌀떡
달돠알
달달달

한입 깨물면
쭉쭉 늘어나는 찹쌀떡
쭉쯔우욱
쭉쭉쭉

초콜릿

초콜릿은 달다
초콜릿은 맛있다
초콜릿은 나쁘다

레몬

시고 달고 짜릿한
레몬
침이 주르륵
나오니
소화도 잘 될 것 같다

사과 맛 주스

엄마가
갈아준
사과 보다
사과 맛 주스가
더 더 더 맛있다

팝콘

영화 볼 때는
팝콘이지
팝!팝!
터지는 팝콘을 먹으니
내 문제 덩어리도
팝!
없어진다

우유

흰 우유는 재미없고
초코 우유는 까맣고
딸기 우유는 부끄럽고

바나나 우유가 최고다

파슬리

스파게티에
파슬리
계란후라이에
파슬리
볶음밥에도
파슬리

파슬리는 다양하게 어울린다

바나나 먹으면

바나나 먹으면
발끝에서 시작되는
맛있는 달달함이
머리카락까지 쭈우욱
올라온다

바나나 먹으면
물컹한 속살이
입안에서부터 온몸을 여행하며
비타민을 터트린다

얼음

무지막지하게
아지랑이가 올라오는날

물통에
갇혀있는
얼음들을

입속으로
탈탈
털어 넣는다

아지랑이가 올라오는
아스팔트보다
더 더운 곳
바로
입속으로 말이다

수박 겉 핥기

내 마음속은
수학 숙제를
대충하고 싶다

친구들과 함께
즐거운 시간을
보내고 싶은데

수학 숙제로
즐거운 시간을
괴로운 시간으로
바꾼다

그리고
정말로
수박 겉을 낼름

양상추

꼬불꼬불
널따란 잎에
영양소가
지나다닌다

그것을 파괴하려는
농부의 손길과

그것을 먹어치우려는
엄마의 잔소리

먹어봐

나는 불쌍한
양상추를
먹고 싶지 않아졌다

미역국

내가 좋아하는 미역국
내가 태어나자마자
우리 엄마가 먹었던 미역국
나의 이가 생겼을때부터
먹었던 미역국
내 입맛에 딱 맞는 미역국은
든든하고 따뜻하고
믿음직해 좋다

갈비찜

할머니와 할아버지와 함께 갔던 갈비집
엄마와 아빠와 함께 갔던 갈비집

갈비찜을 먹었던 기억이
섬세하게 남아있다

침이 나오는 깊은 냄새와
환상적인 맛 덕분에
갈비찜에 반해버렸다

당면을 호로록 먹으면
라면보다 더 맛있다

갈비찜을 떠올리며
할머니 할아버지 엄마 아빠가
그리워지는 이 밤

비빔밥

등산을 하고 내려와
허기진 배를 달래려
들어간 식당에서
비빔밥을 시킨다

뜨거운 돌솥에
따듯한 밥이 고스란히 올라가 있네
각종 채소가 빛깔 좋게 놓여있고
노오란 계란 노른자가
조심히 웃는다

낭만적인
비빔밥
또 등산하러 가야지

떡볶이

3교시 후 먹는
학교 급식으로는
배가 차지 않는다
6교시까지 버틴다

종이 울리면
우리는 참새들처럼
우르르르
분식집으로 달려든다

떡볶이는 내 영혼의 위안
시끄러운 배를 위해

떡볶이 1인분이요!
달달하고 매콤한
내 사랑

치킨

바삭바삭한
튀김옷 사이로
윤기가 촬촬 단백질

닭다리를 들고
뜯는다
어금니로 순살을 으깨고
맛을 느낀다

미역국과는
차원이 다른
순살의 촉촉한 치킨

치킨과 만나면
나는
기쁨을 느낀다

사이다

입에서
톡톡 쏘는
탄산음료를

벌컥벌컥 마신다

입에서 시작해
목 안쪽까지

피자와 단짝
치킨과 단짝
햄버거와 단짝
라면과 단짝

짝궁이 된 사이다
맛있는 사이다

별 사탕

별처럼 빛나지 않아도
아이들에게
사랑받는 너

만날 행복하지 않아도
밤 하늘에 빛나는
달에게
존중받는 너

넌 마치 별 사탕 같아

말로 못 하는 말을 쓸게

발　행 | 2024년 6월 20일

저　자 | 손고은

펴낸이 | 한건희

편　집 | 고선애

펴낸곳 | 주식회사 부크크

출판사등록 | 2014.07.15.(제2014-16호)

주　소 | 서울특별시 금천구 가산디지털1로 119 SK트윈타워 A동 305호

전　화 | 1670-8316

이메일 | info@bookk.co.kr

ISBN | 979-11-410-8996-2

www.bookk.co.kr